KB062494

내가 길가의 돌멩이였을 때

b판시선 61

허 완 시집

내가 길가의 돌멩이였을 때

도서출판 b

마음은 늘 도성都城이었으나

내 시 쓰기는 늘 삭풍 부는 변방이었다

눈 시리도록 하늘 맑은 날 골라

꺼져가는 시심을 좀 지펴 보려

반쯤 무너져내린 봉수대에 올라

자꾸 꺼져가는 시상에 불을 붙이다

혹여 넘어올지 모를 파발을 기다리며

청춘 바쳐 사수해낸 전선

그 치열했던 삶의 고개를 바라보았으나

기다리는 길목으론 파발 대신

바람만 뺨을 매섭게 때리고 달아났다

시편 몇 조각 태워 피워올리던 봉수대 연기

내 마음의 도성에 끝내 닿지 못하고……

|차 례|

제3부 초승달도 등이 휘어

제4부 내 첫사랑의 고샅길 에움길

제5부 자박자박 그대 걸어오는 소리

제1부

슬픔의 딸꾹질 소리 들리는

바람의 흉터

누구를 흔들거나 무엇을 밀다가
안 되면 그것을 뛰어넘는 바람도
크게 다칠 때가 있는 것이다
간밤 큰 소리로 울며 지나가는 것이다
큰 가로수를 들이받았는지
바람의 팔 하나 뚝 부러져
가로수 줄기에 거꾸로 매달려
잉잉 울고만 있는 것이다

몇 날 며칠이 지나도록 멈추지 않고
진물처럼 흘러나오는 신음 소리에
구급차 출동하듯 맹렬히 울던 매미들도
시나브로 자취를 감추는 것이다
거리에는 어느새 찬바람만 불고
큰 상처 더디게 아무는 동안
지워지지 않을 흉터를 보며
가로수의 안색 부쩍 파리해지는 것이다

세상의 중심

한 생애를 오직 한 곳에 서서
한 발짝도 움직이지 못하는 운명
나무가 가엾은 적 있었다
바람에 흔들려도 제자리를 지켜 우뚝 선 나무
억지로 옮겨심으면 몸살 신열에 잎새부터 말라
더러는 끝내 요절하는 생

어느 날 세상이 나무를 축으로 움직이는 것을 보았다
여린 짐승들이 찾아드는 나무의 품
그 밑에서 사람들이 땀을 식힐 때
잎새들이 수런거리며 푸른 손바닥 뒤집으면
바람은 일제히 나무쪽으로 달음질쳐 왔다
태양도 나무에 컴퍼스를 꽂고 하늘에 반원을 그렸다

대지를 축복하듯 빗방울들이 내려
땅속 깊이 뻗은 실뿌리로 빨려들 때부터
이미 세상의 한가운데 서서
잎새의 엽록소들 팽팽히 햇살을 잡아당기면

지레 겁을 먹고 뒷걸음치던 구름

이 땅 언저리라도 뿌리를 내려
한자리에서 한 세상 일가를 이룬 나무가
넓은 어깨며 든든한 무릎에 평생
헤매 돌다 지친 남의 식솔들마저 품고서
그렇게 세상의 중심이 되는 것을 보았다

그림자를 껴안다

지상에 우뚝 선 사람도
그리움이 사무쳐 나부낄 때면
제 그림자라도 껴안고 싶은 것이다
사랑에 목마른 영혼
그 심연의 우물 바닥 드러날 때면
저를 마주한 벽마저도 응시하는 것이다

종일 한마디 말 건네는 이 없어 창가에 서면
해거름 녘 가슴에 껴안고 나온 강아지를
길에 내려놓고 걷다가 멈추고
걷다가 멈추는 초로初老의 외로움 하나를
안 보는 척 훔쳐보기도 하는 것이다

지아비도 자녀도 채워주지 못하는
마음속 빈자리 하나
강아지에게 내어주기 전에는
저도 제 그림자 껴안고 싶을 때 있었을 것이다
강아지 쓰다듬듯 매일 닦아주던 화초들

화분 밑에 배설한 물도 기꺼웠을 것이다

처자식 살아 곁에 있는 사람도
까닭 없이 홀로 나부낄 때 있는 것이다
쉽사리 채워지지 않는 가슴 한구석
그 오랜 빈자리
제 그림자를 껴안아 채우려 했을 것이다

나부껴온 생을 통째로 하늘에 맡긴 가로수는
산책하던 강아지가 하체로 쏟아내는 치욕을
제 발등에 모두 받아내는 순간에도
넓게 드리워진 제 그림자 대신
언제나 그렇듯 팔이란 팔 모두 들어
높은 하늘 껴안고 있는 것이다

대나무 속

바람에 흔들릴지언정 꺾이지는 않는다
서걱이며 서로 부대낄수록
제 속을 비운 살갗에는 오히려
옥빛 결기마저 빛난다
필생의 내공이 응축된 마디마디는
굽히고 꺾이는 것을 결단코
용납하지 않았을 것이다
높아질 대로 높아지고
굵어질 대로 굵어져도
제 속을 바람으로만 채웠다가
어느 손에 베어져 나동그라진 그때서야
텅 빈 무욕의 속마음 보여주다가
두 자 남짓으로 잘리고 뚫린 채
또 다른 누군가의 손에 붙들려
평생 저를 흔들어대던 바람 소리를
피 울음 섞인 선율로 히잉히잉
토해내고 또 토해내는 대나무

적벽 赤壁

본디 흔하디흔한 흙이었으나
물을 만나 육면 핏덩이로 태어났다
세상 풍파에 굳어가다 갑자기 닥친
극한의 화염이 만들어낸 내구耐久
대퇴근 검붉게 그을린 채
무수한 백성들 불뚝 드러난
근육질 몸매로 언제나
제자리 지키고 있다 이 악다물고 있다
붉은 사각 벽돌 하나하나가
다른 벽돌의 디딤돌일 뿐
주어진 이름들은 없다
이러다 망한다던 세상 이러다
무너진다던 나라 오늘 건재하다
어깨 겯거나 팔짱 낀 채로
거대한 건물 벽 어느 한구석의 무게
묵묵히 견디고 있다 감당하고 있다
적벽 앞은 언제나 숙연하다

내가 길가의 돌멩이였을 때

구르던 돌멩이로 내가 길가에 멈춰 있는 것은
오고 가는 발끝에 걷어차였기 때문이리
머리끝까지 화 끓어올라 하필이면
불 뿜는 누군가의 눈에 띄었기 때문이리
발끝에 차여 이리저리 구르며 곡예를 하듯
아슬아슬 재주를 넘었기 때문이리

구르던 돌멩이로 내가 길섶에 숨어 있는 것은
무심한 발길에 차이고 또 차여
길 한복판으로 굴러떨어졌을 때
자동차 바퀴들이 내 전신을 덮칠까 봐
으르렁으르렁 불도저의 무한궤도가
나를 아주 으스러뜨릴까 봐
흐르는 빗물을 타고 미끄러졌기 때문이리

이리저리 구르던 돌멩이로 내 지금까지
길가의 한 자리를 지키고 있는 것은
무수한 발끝에 차여 굴러온 녀석들에게

말벗이나 되어주다가 서로 가여워하다가
비탈진 언덕에 번듯한 집 하나 짓는
돌 축대 위의 주인 눈에 띠어
돌덩이 밑 허술한 틈새를 괼
단 하나의 돌멩이 되길 꿈꾸기 때문이리

내가 무수한 발길에 차이는
작고 천한 돌멩이였으나
견고하게 쌓는 축대 사이
한 곳에 끼어 자리 잡을 수 있다면
나를 걷어찬 발들 용서하며 고마워하며
몇백 년을 견디어도 나는 좋으리

알토 색소폰

어떤 중년 남자와 몇 년 살던 그녀
우리 집에 들어와서는 내게 착 안기는 것이다
처음에는 엉덩이를 뒤로 빼며 수줍어했지만
저를 반색하는 내가 영 싫지는 않은 것이다
나도 네가 처음이라고
앞으로 잘 지내보자는 신호로
가늘고 긴 그녀의 목을 감싸 안아보는 것이다
손가락으로 몸통의 상처 자국들을 지그시 누르며
힘주어 내 더운 숨결 불어 넣을 때마다
그녀는 높은 소리로 비명을 지르다가
이내 낮은 소리로 흑흑 울음을 터뜨리는 것이다
다시 그녀를 안고 입을 맞추면
흥얼흥얼 콧노래를 부르다가도
이내 슬픔에 체한 듯 몸서리를 치는 것이다
무릎을 세우고 앉아 꼭 곡절이 있는 모양으로
얼굴을 묻고 흐느끼는 그녀를 안고 토닥토닥
벨벳 손수건으로 그렁그렁한 눈물을 닦으며
그녀의 야윈 등을 자꾸 쓸어내리면

울음소리 멈춘 목으로 한동안
끅 끅 슬픔의 딸국질 이어지는 것이다
생의 어두운 터널로 이어지는 음표들을 따라
외마디 비명도 못 지른 채 내달리며 헐떡이던
가녀린 그녀의 거친 숨소리가
울음 뒤에 여운처럼 이어지는 것이다

태풍 3

이제 더위 좀 한풀 꺾이려나
하는 그때 나는 일어나지
태풍이 다행히 이쪽을 비켜 갔군
하며 너희 가슴을 쓸어내리는 그때 나는 출발하지
앞에 가신 분이 할퀴고 간 지붕 고치고
논의 쓰러진 벼 간신히 일으켜주고
한시름 놓으려는 그때 나는 걸어가지

이름값 좀 하는 내 자존심 세워주려고
필리핀해에서 필리핀의 눈물이 함께 했지
동중국해를 지날 때 타이완의 눈물 합류하더니
오키나와 옆 지날 때 유구국琉球國의 눈물까지 가세해
한껏 기세등등해진 나는 히이이힝……
괴상한 울음소리 토해내며 돌진하지

북쪽의 뭍을 향해 성큼성큼 내딛는
내 발자국 크기 얼마나 될 거라고
내 발자국 방향 어디로 날 거라고

나를 잘 안다는 누가 연신 설레발을 쳐대지만
그럴 때마다 나는 그 길 살짝 비켜서 가지
낮게 붙들어 맨 너희 마음 풀어놓지 말라고
너희가 미리 그려놓은 나의 경로를
나는 언제나 그렇듯 조금씩 틀어서 지나가지

태풍 4

가끔 얌전해질 때도 있었지만
먼바다의 자잘한 섬들 집어삼키며
나는 맹렬한 기세로 뭍에 상륙했네
방파제 너머에 낮게 엎드려 있는
함석지붕이며 비닐하우스에
마을 사람들의 속이란 속 다 뒤집어놓고
나는 뭍을 거슬러 산맥을 넘어가려 했네

걷잡을 수 없이 많은 눈물 뿌리며
수목 울창한 어느 골짜기를 할퀴려 할 때
품 너른 산맥이 내 눈물 받아주면서
그래 울어버려, 실컷 울어버려
내 어깨 어루만지며 귀에 대고 속삭였네
네 마음 안다, 네 마음 다 안다며
크게 들썩이는 내 등 두드려 주었네

체면도 없이 산의 품에 얼굴을 묻고
눈물 콧물 다 쏟으며 꺽꺽 울부짖을 때

거친 내 숨결, 들썩이던 내 어깨 잦아들었네
격동하던 내 혈기의 너울 가라앉았네
흥건히 젖은 얼굴로 자꾸 뒤돌아보며
나는 산맥 너머로 급하게 줄행랑쳤네

태풍 5

나 때로는 쾅쾅
무엇이든 들이받고 싶을 때 있다

곳곳에 매복한 암초에 부딪히고
깎아지른 해안 절벽 무수히 두들겨서
단단해진 내 이마로 한 방 들이박아
다 부숴버리고 싶을 때 있다
더는 참을 수 없을 때가
꼴사나운 것들 날려버리고 싶을 때가
분노 조절 기능에 장애가 생길 때가
찜통 같은 늦더위를 견디다
참을성 끓어 넘칠 때 있다

나 무엇이든 퍽퍽 들이받고 싶지만
이것만은 들이받을 수 없다
나를 낳아준 바다
속 깊고 품 넓은 내 고향
남쪽 멀리 있어 애틋한 나의 뿌리를

아열대의 햇발과 파도에 기진맥진한
내가 가여워하는 섬들을

차마 들이받을 수 없어
나 이제 북쪽 멀리 있다는 뭍을 향해 가는
쿠로시오해류를 따라가는 수밖에 없다
전력으로 질주하는 내 이마 받아주려고
누구보다 먼저 나를 기다리고 있을
해안 절벽과 포구 앞 방파제
그곳으로 돌진하는 나를 말릴 수 없다
아무도 나를 때려눕힐 수 없다

거목은 어떻게 쓰러지는가

어제까지만 해도 늠름하게
전신으로 날아오는 햇살을 맞으며
그는 제 아래 커다란 그늘을 드리우고 있었으리
그의 팔과 어깨를 청솔모에게 내어주거나
몸 구석구석을 온갖 새들에게 빌려주거나
한 점 바람 없는 팔월 염천 하늘에
제 팔과 손바닥 흔들어 바람을 일으켰으리
저만 한 나무며 저보다 작은 나무들 불러 모아
함께 큰 숲 이루어 숨 쉬는 여린 것들
작디작은 목숨들마저 그 품에 깃들어 쉬라고
제 것에다가 누군가 두고 간 것도 나눠주고
밟힌 풀잎과 꺾인 꽃대들까지 보듬다가
어느덧 그는 세상에서 제법 큰 나무가 되었으리
궁궐 지붕 밑 가로지르는 대들보가 되거나
지붕 떠받치는 기둥 당연하다 사람들 말하는 그때
그의 발목 관절에 통풍처럼 바람 스쳐 지나갔으리
방심의 벌레들이 조금씩 갉아먹는 그 내면의 밑동
겉으로 튼실해 보일수록 안으로 찾아드는 공허

높은 우듬지며 넓게 드리운 그늘까지도
거목이 된 그의 외로움 어찌 헤아렸으리
가문 하늘에서 뜨거운 햇발 쏟아져 내릴수록
제 몸의 가지만큼 땅속 깊이 뿌리를 내려
심원深源의 자양분 빨아들였으나
탄환 빗발 퍼부으며 폭풍 밤새 휘몰아칠 때
큰 바다 격랑을 넘는 범선처럼 그는
바람의 완력에 제 몸 온전히 맡기지 못했으리
완강히 버텨보려 해도 시나브로 삭아가던 밑동
더는 버티지 못해 비명과 함께 부러졌으리
욕망의 속살 보이며 쓰러져 누운 거목
그 몸통에서 뻗은 수족까지 꺾여버린
거목의 치욕과 참혹한 임종
그가 만들어준 그늘 밑 꽃 덤불 속
이제 막 피어나려다 가냘픈 허리 꺾인 채
황망히 쓰러져 우는 저 꽃들의 산발
꿈꾸며 싸웠던 그의 한세월 아름다웠으나
드리웠던 제 그늘의 품 넉넉하였으나

우뚝 솟아 우러러보기조차 힘든 거목도
갑자기 쓰러지는 날 있는 것이리
쓰러져서 저 살았던 아름다운 숲에
깊은 상처 남기는 날 있는 것이리

생수통

옹글어 다부진 남자들
부동자세로 줄을 서 있다
튀어나온 가슴팍이며 팔뚝의 이두박근
복부에는 임금 왕王 자인 듯 윤곽 또렷하다
어느 높은 산정의 호숫물로 배를 채운 듯
살갗은 조금 푸르딩딩하다
정수리를 열고 물구나무 세워 받는
수혈輸血
쿨럭쿨럭 기침을 하면서
그의 몸 안에서 빠져나오는
맑고 투명한 피
그들은 늠름한 모습으로 줄을 서서
언제 어디서나
긴급 수혈을 준비하고 있다

모래시계

손아귀 아무리 움켜쥐어도
손가락 사이로 빠져나가는 모래들은
점점 가속도를 낸다
뒤집어놓을 수 없는
내 생명의 모래시계
작은 구멍으로 멈추지 않고 투신하는
무수한 시간의 낱알들
내 생애의 하구 모래톱에 쌓이면
철썩이며 일렁이는 물결들이
연기처럼 흩어지는 가여운 것들을 데리고
너울너울 강을 건너리라

빠져나가는 시간들은 언제나 내리막길이다

제2부

당신은 눈부시게 아름답고

는개 내리는 강가

내 기다리는 그대는 이런 느낌으로 오리
서늘하게 스치는 바람을 타고
내 머리와 어깨 위에 슬몃 내려앉았다가
상큼한 머리카락 몇 올 실바람에 날려
내 볼을 스치듯 건드리던
그 감촉 되살리는 는개처럼
간질간질 나에게 오리

내 기다리는 그대는 이런 내음으로 오리
잔잔한 강물 위에 는개가 내려
작은 동심원들 무수히 퍼뜨리는
여름날 오이냉국 같은 물비린내로 오리
감은 머릿결 물기 아직 촉촉한 여인처럼
연둣빛 버들개지의 수줍음으로
하늘하늘 가벼이 오리

칠월

여름이 다 되도록 흙 속에서
발가락 꼼지락거리던 토란 까치발로 올라오듯
당신 향한 내 그리움의 키는 성큼 자라나고
내 마음의 호박 넌출
부지런히 당신 있는 곳으로 뻗어갑니다
그러다가 내 슬픔의 장맛비 잠시 그치고 나면
달 없는 밤의 반딧불처럼
당신은 한 점 외꽃으로 내 앞에 나타납니다

샛노란 당신은 눈부시게 아름답고
당신을 바라보는 나도 이렇게 젊습니다
당신 앞에 선 내 가슴 다시 뜨겁습니다

산책길에서

홀로 길 나서는데
세찬 바람에 옷자락 펄럭입니다
나와 함께 걷던 당신이
바람이 차다며 내 옷깃 세워 여며주던
바로 그 길입니다

당신의 얼굴

스스로는 아무것도 못 하는 갓난아기는 저를 먹이고 입히고 누이시는 당신의 손길이 세상의 전부입니다

지금 당신의 그윽한 눈길로 바라보시는 갓난아기가 당신의 전부이듯이

아기가 저를 만지는 당신을 바라볼 때 당신의 얼굴은 아기에게 세상의 전부입니다

아기는 이제 당신 손을 붙들고 걸음마를 떼다가 어느새 당신의 이름을 부르는 아이가 되었습니다

아직 당신의 손길이 필요한 아이는 정작 당신의 얼굴이 보이지 않으면 울음부터 터뜨립니다

세상의 전부를 상실한 듯 큰 소리로 울고 있는 아이를 당신이 멀찍이서 바라보십니다

아이는 지금 당신의 얼굴이 필요합니다 사실은 지금 아이에게 당신의 손길은 안중에도 없습니다

그렇다고 당신은 어린아이에게 당신의 환한 얼굴만 보이

시겠습니까

　갓난아기는 아이가 되고 아이가 어느덧 지금의 내가 되었
습니다
　그러나 나는 아직도 어린아이로 남아 당신의 얼굴 보이지
않으면 밤이고 낮이고 웁니다 큰 소리로 울음 터뜨립니다

그리움의 증세

입맛이 없거나 손에 일이 안 잡히는데
혹시 이것이 실어증일까요
또 다른 증세가 있기는 하지만
마음 편히 얘기할 데가 없었어요

난방을 하는데도 서향인 우리 집은 싸늘해요
소식 없는 그이를 위해 늘 문을 열어놓으니까요
손발은 차가운데 내 머리는 뜨거워요
그이가 떠난 뒤 감기를 달고 살지만
우리의 사랑처럼 뜨겁던 그 여름의 태양은 아직
내 망각의 바다로 지지 않았기 때문이죠

창으로 들어온 저녁 햇살이 내 몸을 관통할 때면
휑하게 뚫린 한쪽 옆구리를 부여잡고
나는 반쯤 열린 문을 향해 달려가곤 해요
그이를 위해 열어놓은 문으로
그이는 붉은 노을을 함께 데리고 들어왔으니까요

문 쪽을 바라보다가 나는 저녁 시간을 자꾸 놓쳐요
찬밥처럼 식어갈 내 사랑 두려워
뜨거운 물에 말아 밥 한술 뜨며 문득
아랫목 이불 밑에 갈무리한
내 기다림의 온기 다시 한번 만져보다가
마음속 식탁 맞은편에 수저 하나 더 올려놓지요

그이를 위해 문은 오늘도 반쯤 열어놓고요
아참, 내 가슴에 등 하나는 언제나 환하게 켜놓지요
꾸벅꾸벅 길어지는 내 목을 타고 마구 밀려드는
깊은 꿈결에 그이 오실 때 혹여라도
기다림의 등불 꺼진 나를 지나칠지 모르니까요

사실은 나도 내가 온전치 않은 것 같아요
내 열어놓은 문으로 그이 모습 보인다면
나를 향한 세상의 손가락질쯤 견딜 수 있어요
혹시 이것이 상사병일까요

꽃샘 시샘

　당신 떠나갈 때 꽃망울 맺히던 길이 눈발에 묻혔습니다 당신 떠난 길에서 홀로 피어나며 나 오랫동안 서성일까 봐 내가 기다리는 당신을 누군가 질투하여 아침부터 세찬 눈발 이끌고 와 당신 떠난 그 길 밤새 덮어버렸습니다 꽃샘 그이가 하얗게 지워버렸습니다 당신과 걷던 그 길 위의 연둣빛 기억들도 나란히 우리 발자국들 옆에 순장되었습니다

　눈발로 지워진 길 앞에서 당신 향한 내 자세 눈사람 녹듯 허물어질 때 우리를 시샘하는 그이의 차디찬 눈빛도 실눈 뜬 시선도 찰랑거리며 흐르는 우수의 강처럼 어느새 누그러지겠지요 그러면 당신은 무너져내리는 눈사람마냥 초췌해진 내게 당신을 시샘하는 그이보다 먼저 오시렵니까 혹여 꽃샘 그이가 알지 못하는 호젓한 숲길로 내게 몰래 오시렵니까

당신

그리운 이여, 나는 왜 이리도 내 마음속에 당신을 아직도 내려놓지 못해 날마다 당신의 얼굴이며 숨결 애처로이 찾아 헤매는지요

낮에는 거리에서 밤에는 꿈결에서 어딘가에 모습 감춘 채 나를 지켜볼 것만 같은 당신의 애틋한 눈길 끝내 내 안에서 지우지 못하는지요

내 잠시 어여쁜 또 다른 것에 미혹되어 한눈파는 사이 슬픈 낯빛으로 내 곁을 떠난 후 당신은 왜 내게 얼굴 한번 비치지 않는지요

당신이 떠나고 난 뒤 내 가슴 속은 당신의 살가운 온기와 음성 사라진 어두운 동굴이 되었습니다 칠흑 속의 서늘한 적막뿐입니다

당신 찾아 헤매는 내 얼굴을 숨어서 지켜보실 이여, 어디선가 나타나 자꾸 한눈팔던 내 허물들 와락 감싸 안아주실 품 넓은 이여

그리운 당신의 애틋한 눈빛 닿은 내 전신에 당신의 안온한 숨결을 따라 일어나는 촉수처럼 소름 다시 한껏 돋아납니다

그곳

당신은 그곳으로 가라 하시는데
아직 이곳에 머무는 나는 자꾸만
신기루 아름다운 저 먼 곳을 바라봅니다
잘 닦여 곧게 뻗은 길
저곳으로 난 길을 바라보는 나에게
당신은 저곳 말고 그곳으로 가라 하십니다
당신이 가리키는 그곳으로 가는 길
찾아도 보이지 않아 갈 바를 모르는 길
그곳이 정말 있기는 한 것인지
고개를 갸우뚱하며 찾아 헤맬 때
당신과 내가 만나 누릴 그곳에서
나를 기다린다고 당신은 이르십니다
신기루 보이는 저 먼 곳으로 가던 발길 돌려
그곳으로 가는 길은 좁고 험하기만 합니다
자꾸 내 눈길 발길 잡아끄는
저곳으로 가는 평탄한 길 돌아보다 자칫하면
낭떠러지 아래로 떨어질 수 있는 길입니다
그곳 향한 당신의 손만 바라보고 가는 길입니다

등꽃

하늘 아래 저 초록 천장에
누가 치렁치렁
연보라 꽃술을 달아 놓았나

봄꽃 다 지도록 오지 않는
그대를 기다리는
간절한 내 마음 어떻게 알고

햇살 따가운 오월 서늘한 그늘막 아래
누가 주렁주렁
저토록 많은 등불을 밝혀 놓았나

우두커니 관찰기

우두커니는 외로움에 이골이 났을까

날 저물어 어둑해지는 고향 언덕의 무덤을 지키고 있는
망주석望柱石 맞은편에 부동자세로 서 있다

아침부터 대문에 기대어 아들네가 금방 들어설 것 같은
동구를 바라보는 노모의 지팡이로 서 있다

우두커니는 쓸쓸함에 익숙해졌을까

시골 학교 앞을 지나다가 첫사랑의 이름 기억나지 않아
길가에 잠시 세운 차 운전석에 눈을 감고 앉아 있다

잎새 지는 공원 벤치에 앉아 종이컵에 소주를 받아놓은
노숙인 옆자리의 술병으로 세워져 있다

우두커니는 그리움을 먹고 살까

생때같은 자식 가슴에 묻은 지 오래도록 저녁 밥상머리에
서 넋 나간 중년 여인 곁에 숟가락만 들고 멈추어 있다

남양군도에서 돌아와 입을 다물고 있는 단발머리 소녀상
옆 빈 의자에 앉아 오래도록 어딘가를 응시하고 있다

우두커니는 혹여 기다림에 지칠 때도 있을까

봄밤을 환히 밝히던 꽃잎 다 지도록 오지 않는 사람을
향해 그늘을 드리우는 산수유나무 서늘한 그림자로 누워
있다 아니다

늦은 저녁까지 홀로 집 지키며 말 한마디 걸어줄 주인을
기다리다가 시무룩한 눈빛만 남은 고양이의 보이지 않는
윤곽으로 웅크리고 있다

고마리꽃

웬 산딸기가 이렇게 늦게 열릴까
아직 덜 익은 산딸기에서
웬 꽃봉오리들이 열리고 있을까

웬 둥지가 이렇게 앙증맞을까
갓 부화한 고만고만한 것들이
얼마나 배고팠으면
들여다보는 나를 어미인 줄로 알고
분홍빛 작은 부리를
저리도 크게 벌리고 있을까

말린 장미

사람들의 눈길 한 몸에 받으며
젊었을 때 인물로는 한가락 했을 텐데
빛바랜 입술의 그녀는 이미
손녀 같은 것들에게 제 자리를 내준 지 오래지만
늦가을 검불같이 가벼워진 몸으로
그 시절 자신을 빛냈던 의상을 입고
세월의 바람벽 벤치에 기대어
아직 변하지 않은 고혹蠱惑한 기품으로
조금씩 자기 육신을 쪼그라뜨려
영혼의 향기 은은히 피워내고 있다

그대 마음을 헤아리다

포르릉 하늘을 날아온 새는
앙상한 나뭇가지가 아플까 봐
사뿐히 내려앉는다
송글송글 맺혀 있던 이슬방울들
가녀린 풀잎이 버거울까 봐
또르르 굴러떨어진다
우당탕탕 내리닫던 계곡물은
점잖은 바윗돌이 시끄러울까 봐
돌돌돌 돌아서 흐른다
뭉실뭉실 해를 가린 구름
기다리는 해가 답답할까 봐
슬금슬금 옆으로 비켜 흐른다
바람이 분다
살랑살랑 옷자락 들추던 봄바람은
행여나 덜 아문 상처 건드릴까 봐
살며시 그대 머릿결만 어루만진다

제3부

초승달도 등이 휘어

희망

하늘의 눈망울에서 갑자기 그렁그렁 눈물들 쏟아지려고
할 때 하늘은 왜 자꾸만 아래로 주저앉는지, 주저앉아 하늘은
왜 어두운 목덜미에 선명한 핏대를 세우며 우는지, 울우룽
울우룽 울음소리 크게 내다가 왜 저마저 꽝 하고 쓰러지는지,
혼절하는지

네 뺨의 눈물 자국이 잿빛 하늘에 섬광처럼 나타나고
참았던 울음이 터지면 개구리들은 왜 일제히 노래를 부르는
지, 여울목을 지나가는 물살이 어루만진 바위들은 돌돌돌
왜 돌아앉아 눈물을 닦는지, 생기 도는 숲은 왜 뜬금없이
주르륵 또 눈물방울 떨구는지

사월에 피는 꽃

그날을 잊지 말라고
사월의 그 날
돌아오지 못한 너희들
꽃으로 피어 돌아오는구나

너희들의 꿈을 닮아
각양각색
너희들의 예쁜 모습인 양 환하게
웃는 얼굴로 피어나는구나

꺼질 듯 꺼지지 않는
별들로 반짝이다가
너무 먼 그리움 어떻게 알고
새벽마다 이 땅으로 내려와

잠깐이라도 얼굴 한번 보라고
속 깊은 너희들
바라보는 눈 이리 아리도록

참 눈부시게 피어나는구나

여의도 벚꽃

맹골수도 급류로부터 조류를 타고 진도 앞바다 신안 앞바다 태안 앞바다를 지나고 교동도 강화도 사이를 지나자마자 방향을 틀어 한강 거슬러 올라 이제 막 도착합니다 마침 봄비 그친 오늘 먼저 도착한 넋들 하나둘 피어나기 시작합니다 팽목항 봄 바다 하늘의 초저녁별처럼 피어납니다 아리수 물길 거슬러 줄지어 오는 가여운 넋들 모두 다다르면 여의도는 온통 꽃다운 아이들의 수다로 수런거리겠지요 눈부시겠지요

올봄에도 여의도 윤중로에 벚꽃같이 환한 아이들의 얼굴 다시 피어납니다

농활 農活

　말라가는 물꼬마다 누워 아가미 벌룽대는 것들 안쓰럽게
바라보던 구름 모둠 먼저 뚜둑 뛰어내리고

　일손 없어 장마 끝나도록 묵혀두었던 감자밭에 염천 뙤약
볕 모둠은 빗발같이 쨍쨍 쏟아져 내리고

　산기슭 고추밭 쪽으로 들려오는 여울 물소리 모둠은 땀에
젖은 겨드랑이들을 살랑살랑 들어 올리고

대열隊列

장맛비 예보된 칠월의 한낮
시골집 마당 앞길 한복판에 개미 떼
수천이나 되는 긴 대열 이루었다
식솔들 모두 이끌고 지도자를 따라가는
유대 민족 출애굽 행렬이다
내일 날이 밝으면 저들
흙탕물 넘실대는 홍해를 만나리라
그 장엄한 대열 흩뜨리지 말고
진퇴양난의 물 앞에서도
가야 할 길 멀고 먼 광야에서도 부디
하늘의 가호가 있기를!

백로 白露

햇살 번지는 강변 산책로를 지날 때
무리 지어 서 있던 갈대들이
나한테 고개 숙여 인사합니다
뜨거웠던 지난여름의 뙤약볕
참 잘 견디었다고
장맛비 끈질기게 쏟아부을 때도
상륙한 태풍의 군홧발이
마구 짓밟고 지나가던 엊그제도
잘 견디었다고, 잘 버티었다고
저희끼리 마주 보며 위로합니다
매미들 울음소리 잦아들어도
덮쳐 올 태풍 몇 더 있으리라는 것
갈대들 알고 있어도 모르는 척
밤새 시름하며 뒤척이다 맺힌 눈물인 듯
잎새에 달린 이슬방울들 반짝입니다
너희들 참 대견하다고
너희들 참 훌륭하다고
나도 한번 환하게 웃어줍니다

가을비

간밤부터 내리는 비에
젖은 몸을 떨며
낙엽들 길바닥에 누워 있다

감상感傷이 아니라고
낭만 따위가 아니라고
세상은 냉혹한 것이라고

발걸음 재촉하는 출근길
술에 취한 노숙인 하나
지하철역 문 입구에 누워 젖고 있다

폐지廢紙

사랑을 함부로 말하지 마라
싸락눈 내리는 이른 아침
가게 앞에 쌓인 종이 상자
하나씩 펼쳐 찹찹히 쌓고 있는
그믐달의 구부러진 등을 보았다면

낡은 손수레에 기우뚱
폐지 실은 백발 부부
앞뒤에서 끌고 밀며 가는 풍경
저녁 햇살에 젖는 것 보았다면
인생을 함부로 말하지 마라

시래기

제 몸통을 내어주고
효수된 머리들이 줄지어
바람벽에 매달려 있다

푸른 머리만 산발한 채
어느새 꼬들꼬들해지는 처마 밑에서는
푸른 피비린내가 난다

저토록 수많은 민란의 주모자들
백성들의 뜨끈한 밥상을 위해 기꺼이
하나뿐인 제 목숨 내주었구나

선풍기

조금 후텁지근해 선풍기 스위치를 누르니
시원한 바람을 연신 등 떠밀어 보내준다
회전 스위치를 돌리니
분갈이해 달라고 나를 쳐다보는 극락조가
날갯죽지 밑 겨드랑이를 추켜올린다
읽다가 놓아둔 어느 무명 시인이 시집도
들척들척 사타구니를 열었다 닫는다
선풍기 바람 좀 나눠 가진 것뿐인데
퀴퀴하던 방 안에 금세 생기가 돈다

스무 시의 초승달

마트나 상점에 가는 대신
전자상거래로 내가 물건을 살 때
그가 새벽부터 택배 운송을 하다가
자꾸만 놓치는 것은 밥때만이 아니다
아내의 생일을 놓치고
자녀의 졸업식을 놓치고
장모님 생신날 가족 모임을 놓치고
친한 친구 부친상 조문을 놓치고
아내가 신신당부한 정기 건강검진도 놓친다
가득 채운 택배상자들 주소를 확인하며
할당받은 물건들의 배송 시간을 놓칠까 봐
아파트 계단을 뛰어 오르내리다가
오늘 저녁 다시 밥때를 놓치고
허기를 채우려 트럭 운전을 하는 손으로
한 줄 김밥을 욱여넣는다
전염병 날로 창궐하는 어려운 때에
일감이 많아져 대박이 났다고들 말하지만
그는 등이 휜다, 허리가 휜다

아파트를 나와 물 한 모금 마시다가 바라본
스무 시의 초승달도 등이 휘어 있다

동막 사람들

해수욕장도 영화 속 산골도 아닌 곳
드넓게 펼쳐진 갯벌에서 줄곧
동죽이며 바지락을 캐냈어도
조개무지처럼 빚은 쌓여갔을 것이다
막무가내로 밀려오는 밀물을 막아
한 뼘 땅뙈기라도 늘려볼까
염분 다 가시지 않아 팍팍한 밭이지만
옥수수며 들깨라도 한번 심어볼까
밤새 뻘물처럼 몸 뒤척였을 것이다

매립된 갯벌 위에 들어설 신도시에
평생 일구던 패전貝田을 넘겨주고
몇 푼 받은 보상금을 쥐고
갯골의 썰물처럼 떠나버린 사람들
신시가지 바라다보이는 산기슭
도당굿하던 집터에 잡초만 남겨둔 채
동막 사람들은 지금
어디서 또 한세상 곰삭고 있을까

서해 일몰

새내기 철광석들과
산전수전 다 겪어본 고철에
잡철들까지 한데 뭉쳤다
대의大義 앞에
저들 뒤섞여 달아오를 대로 달아올라
흐물흐물 이제 다 녹아내렸나 보다

용광로가 몸을 기울여
시뻘건 쇳물을 바다에 쏟아내고 있다

블랙아웃

무릎에 목이 눌려 질식해서 죽더니
경찰의 총격에 흑인 소녀가 죽고
두 흑인 소년의 아버지가 죽었다

검은 몸통에 숭숭 뚫린 바람구멍에선
피 대신 붉은 불꽃이 튀었다 그 순간
텔레비전 뉴스 화면이 꺼지고
아메리카 대륙 전체가 암흑천지가 되었다

정전停電이 잦다
이번엔 시간이 좀 걸릴 것이다

제4부

내 첫사랑의 고샅길 에움길

잃어버린 것에 대하여

지난날의 낭만에 대하여 옛 가수가 노래할 때
신도시 우뚝한 아파트 숲속에서
나는 고향을 잃고 하늘을 잃고
밤하늘 별빛 아래 반짝이던 반딧불마저 잃었네
날이 갈수록 낯 두꺼워지는 사람들
날마다 마주치는 이웃과의 인사를 놓치고
빌딩에 빼앗긴 노을처럼 저녁마저 잃어버릴 때
태평양 건너 큰 나라는 국경 장벽에서 연민을 잃고
코로나 시신들 쌓인 냉동탑차 안에서 자존심을 잃고
검은 얼굴 겨눈 총구 앞에서 신뢰를 잃었네
손에 든 성경책에서 지도자는 성경 말씀을 잃고
지폐에 신앙으로 박은 G, O, D 세 글자도 잃어버렸네

잃어버린 것에 대하여 옛 가수가 노래할 때
나는 이제 사라진 아기 울음소리며
설렐 틈도 없이 빨리 지나가는 봄날이며
낭만을 느끼기엔 너무 짧은 가을에 대해 노래하네

방과후 학교

우리들의 가냘픈 등짝에는 대각선으로 책과 필통을 가지
런히 말아 싼 책보를 둘러맸다

흙먼지 날리는 길 꼬박 이십 리를 걸어 학교에 가자마자
우리는 종례 시간을 기다렸다

급식으로 나눠준 노란 옥수수빵을 먹는 하굣길

우리가 지나가는 밭둑과 작은 숲길과 개울로 흐르는 도랑
물이 흐르던 길섶은 학교보다 더 많은 것을 우리에게 가르쳐
주었다

봄 하늘에 화살표를 그리는 종다리는 달걀만 한 알을
예닐곱 개나 낳아놓은 꿩 둥지가 있는 곳을 일러주었다

청개구리와 도마뱀, 쇠똥구리며 장수풍뎅이, 신기하게도
물 위를 잰걸음으로 걷던 소금쟁이, 미꾸라지 대신 잡히던
드렁허리까지 모두 나의 친구였고 우리의 선생님이었다

여름철 가장 인기가 많은 방과후 학교는 물이 깊어 누군가
죽을 뻔했다는 동둑아래였다

코를 막고 뛰어내려 수달처럼 자맥질하던 다이빙 실기
교실은 누이들이 우리들 이름을 목놓아 부를 때 파하였다

학교가 겨울 방학 중인 한겨울에도 우리들의 방과후 학교

는 방학 없이 휴일도 없이 이어졌다.

썰매 교실도 구슬치기 교실도 시들해지면 아이들은 저녁
상을 물리자마자 몰려나와 마당 짚가리며 옥수숫대 사이에
달빛 조명을 켜고 숨바꼭질 놀이로 야간 자율 학습을 하였다

폭설이 내려 방과후 학교 문이 닫히기라도 할까 봐 우리들
키보다 더 큰 넉가래로 마당의 눈을 치운 날이었을까

초저녁부터 곯아떨어진 밤이면 아지랑이가 산과 들에
초록을 덧입히던 봄날의 방과후 학교가 자꾸만 내 꿈속에
나타났다

지워지지 않는 이름들

지상에서도 지도에서도 지워졌으나
기억에서는 지워지지 않는 이름들 있다
내 나고 자란 땅 나몰
많은 나무들 우거졌다 하여
옛 이름은 아마도 나모울이었으리라
친척 어른들은 나를 가리켜 나몰 아무개 아들이라 했다

겨울이면 틈틈이 나무하러
불당 뒤편 골짜기로 가는 엄마를 따라가
긁어모은 솔가리를 솔가지로 감싸 묶어
내 키만 한 지게에 반 짐만 지고 내려왔다

학교가 파해 집에 오는 길
부자가 많아 기와집들 즐비했다는 기새울을 지나고
도리샘으로 가는 길 금바위 두 집을 돌아 난
길섶에서 매일 따 먹는 산딸기에선
어김없이 향긋한 노린재 냄새가 났다

샛골 하늘에서 솟은 솔개가 긴 날개를 펴고
우리 마을까지 정찰을 하는 늦여름 오후
마당가에서 한가로이 모래를 쪼거나
흙을 파고 앉은 닭들에게, 조심하라고
악을 쓰는 건 나무에 숨은 매미들뿐이었다

팥과 동부를 심은 방죽건너 밭에 간 엄마는
기울어가는 해를 함지박에 담아 이고 오셨다
텃밭에서 뽑아 다듬은 열무단 보따리
나보다 더 큰 짐자전거에 싣고
장에 가려고 간이역으로 앞서 떠난
울 엄마 뒤를 따라 덜컹덜컹 내리닫던
당골 뒤쪽으로 난 좁은 흙 비탈길

벼이삭 조금씩 고개를 숙이던 들판을 지나
심학산 아래 신작로를 가로질러 삽다리 차부상회로
차례상 제수 사러 가던 길에 우연히 마주쳐
얼굴 빨개졌던 아랫말 경자와 경자엄마

콧수염 거뭇하던 중학교 졸업 무렵
읍내 가는 버스가 서는 이웃 청석말에서
내 교복 소매를 이끌던 영주 누나를 따라가
종탑 높은 예배당 마루에 앉아 부르던 찬송가

고등학교 다니려고 나몰의 품 떠나기 전날
묵은배미 언덕 솔숲에서 만난 아랫말 그 아이
나는 작별 인사 몇 마디를 더듬거리며
손으로 눌러 쓴 편지를 그 아이에게 건네주었다

맛있는 바람

비 갠 뒤
맑게 세수한 하늘로
달콤한 바람 부네
방금 떠온 샘물처럼 마음껏
맛있는 바람 마시기 얼마 만인가
나뭇잎들 반짝이며 춤을 추니
한쪽으로 비켜선 뭉게구름도
환하게 하얀 이를 드러내네
향긋한 바람 맛보며
지그시 눈을 감네
오랫동안 떠돌다 돌아와 먹는
집밥처럼 눈물이 핑 도네

체념과 단념 사이

눈 감은 그대들 괜찮겠는가
내가 여태 안간힘으로 붙들고 있던 빙하
좌르르 맥없이 내려놓으려 하는데
허락도 없이 내 정수리를 쪼개 항로를 만든다더니
꽝꽝 얼었던 내 이마 벌써 쩍쩍 금갔는데 괜찮겠는가

내가 이렇게 심하게 열병 앓는데도
알 사람 다 알면서도 모르는 척하더니
내 멈추지 않는 눈물 여름내 쉬지 않고 쏟아부을 때
내 깊은 탄식의 한숨이 폭풍으로 내달릴 때
신음하는 나를 애써 외면하던 그대들 괜찮았는가

내가 발 딛고 있는 남극 빙산에 큰 동굴이 뚫리고
겨우 지탱하던 내 애증의 모서리마저 무너져내리면
그동안 참으며 삭여왔던 나의 분노는
거대한 불길로 미친 돌개바람으로 다가갈 텐데
그대들 심장은 괜찮겠는가

아프다고 아무리 비명을 질러도 도무지 듣지 않아
희망이라는 희망 모두 내려놓으려 하는데
빙산이라는 빙산 모두 무너뜨리려 하는데
마땅한 것은 이제 마땅치 않을 것이고
마땅치 않은 것이 오히려 마땅한 것 되게 하려는데

가슴을 치고 이를 갈며 후회해도
돌이키기엔 이제 너무 늦어버려
내 분노의 임계점에 다 도달해버려
이제껏 겪어보지 않은 것들을 겪게 될 텐데
이렇게 묻는 것도 부질없지만
눈 감고 귀 닫은 그대들 정말 괜찮겠는가

늦게 부르는 노래

멀고 먼 옛날 유대 땅
권력을 세습하는 사독[1]의 자손들과
잘난 바리새인과 서기관들 향해
이 독사의 자식들아![2]
침 뱉듯 독설을 뱉으며
광야에서 외치는 자 있었다네

누가 임박한 진노를 피하라 하더냐![3]
외치다가 외치는 자 목이 베여도
인내는 오래 하고
진노는 더디 하는
하늘의 심판 자꾸 미루어졌네

이 시대를 독점한 탐욕의 자손들아
귀 막은 권력자들아
눈은 있으나 진실에 눈감고
보고픈 것만 보는 지식인들아

빙산은 무너져 성난 물폭탄으로 쏟아붓고
바다 위 낙원 하나둘씩 사라지는데
이 독사의 자식들아!
우리에게 누가 있어
임박한 진노를 피하라 하더냐!

뜨거워져 숨 막히는 이 행성
임박한 진노처럼
임계점이 가까웠느니라!
광야에서 외치듯 홀로 부르지만
이 노래 너무 늦어버렸다네

1. 사독(Zadok): 구약 시대 이스라엘의 대제사장직을 독점하던 사두개파의 기원이 된
   인물. 다윗과 솔로몬이 왕위에 오르는 데 큰 역할을 함.
2~3. 『신약성경』「마태복음」 3장 7절에서 인용.

그린란드

지구에서 제일 큰 섬
섬을 뒤덮고 있던 만년빙과 만년설
어느새 녹아내리며 제 이름 그대로
초록의 섬으로 바뀌고 있다
혹한의 긴 세월 견뎌온 에스키모들
그들은 풀빛 대지가 반갑기만 할까
빙하 밑의 보물은 얼마나 묻혀 있을까
바이킹 제국의 땅이었으나
덴마크의 식민 지배에서 벗어났어도
끝내 돌려받지 못한 비운의 섬
트럼프가 달러를 찍어 통째로 사고 싶었던 땅
조상 대대로 타던 눈썰매 대신
모터스쿠터를 탄 채 조금씩
조금씩 북쪽으로 밀려나는 사람들도
얼음 녹으면 보물을 캘까, 독립 국가를 세울까
공룡이 살던 땅에서 공룡처럼 입을 벌려
돈다발 하염없이 집어삼키는 꿈을 꾼다
조상 대대로 물려받은 만년설 위에서

하늘처럼 바다처럼 순박했던 이누이트족
저들도 이제는 돈벼락 한번 맞고 싶은 것이다

그린란드 옆에 누워 있는 작은 섬이여
그대의 이름 그대로
그대는 그렇게 얼음의 섬으로만 누워 있으라

스러진 고향

돌아갈 집을 빼앗기고
찾아가야 할 마을을 상실했네

수달처럼 자맥질하던 개여울과
부지런히 논두렁을 뚫어놓던 드렁허리와
송사리들 몇 마리 지나다니던 도랑물과
긴긴 장마를 울던 맹꽁이와
흐린 하늘을 비질하던 미루나무와
나만 홀로 알고 있던 산딸기밭도 빼앗겼네

처마 밑에서 꼬들꼬들해지던 무청도
가을 아침마다 선물을 주던 밤나무도
구슬치기 자치기하던 흙 마당도
아이들과 종일토록 썰매 지치던 봇둑도
겨울 달밤 술래를 찾던 짚가리도
참새들 깃들던 초가지붕도 스러져버렸네

봄 하늘을 가로지르던 종다리와

병아리들과 마당 쪼는 닭 위를 맴돌던 솔개와
제 알 훔쳐 가지 말라고 껑껑 울던 까투리와
어느 집안 조상들 줄지어 엎드려 있던 무덤들 사이에서
그 계집애 몰래 만나던 상석床石들과
아지랑이 속에서 삘기를 뽑을 무렵
연둣빛 짙어지던 집 뒤편 언덕마저 잃어버렸네

다시 돌아오지 못할 첫사랑을 노래하듯
우두커니 서서 나 오늘도 속울음 울 때
지워지지 않은 마을의 고샅길 에움길로
내 기억의 피톨들은 끝을 모르고 달음질치네

그리움

첫 결혼 생활에 실패하고 이국에서 고생만 하다가 좀
살 만할 때 급히 먼 길 떠난 큰누이의 그늘진 얼굴
　　신도시 개발로 파헤쳐져 지명 한두 개만 남아 있는 그곳
내 유년의 여름날 피라미와 숨바꼭질하던 개여울
　　지금은 할머니라고 불릴지도 모르는 내 첫사랑의 아련한
얼굴들, 풍경들······

　　기다림의 동의어는 간절함일 테지만
　　그리움의 동의어는 아득함이리라

산그늘
— 산음리에서

낮 시간의 절반이 산그늘에 잠겨

이른 저녁을 다 먹기도 전에

적막이 마실을 오는 마을

가랑이 사이처럼 외길 깊은 골짜기

화전을 일구던 자리에 서 있던

오두막 두어 채

마당과 지붕까지 깔고 앉은 칡넝쿨이

집주인처럼 인사를 건네는

바람의 적소適所

평생 일군 터전을 펜션에 거저 내어주고

산그늘에 뿌리내리지 못한

화전의 삶은 또 어디에서

가파른 생의 비탈을 일구고 있을까

참나무의 상처

숲 아닌 곳에 나 이제 서 있네
벗들 하나둘 떠나간 자리
상처가 흉터로 남은 자리 위에
삭정이 몇 개 데리고 홀로 서 있네

지난봄 화단에 선 계집애들
저마다 원색의 옷 입고 나와
웃음꽃으로 온종일
수다를 떨다 제풀에 지칠 무렵

언제나 뒷북만 치던 나
안간힘으로 연둣빛 잎 틔우고
꽃숭어리 늘어지게 내 봄날을 피워봐도
내게는 눈길 주는 이 하나 없었네

반가운 낯으로 내게 다가와
흰칠한 내 무릎 사정없이 메로 후려치던
그 가을의 아낙들 보이지 않고

진물 흐르다가 아문 상처 위로
담쟁이만 버릇없이 몇 뼘쯤 기어올랐네

세월에 짓찧어져 덧나버린 상처
가슴속까지 짓물러 아물지 않더라도
깊은 내 상처의 골짝에 서식하던
사슴벌레 한 마리
못 견디게 그리워지는 초가을 오후

폐선 廢船

포구 입구 비탈진 뻘 위에
평생 고단했던 몸을 비스듬히 부리고
기울어져 해풍에 녹슬고 있는 모습
기력이 다해 초원 위에 무릎을 꿇고
웅크려 앉은 늙은 암사자 같다

먼바다는 도모하지 못했어도
날마다 만선의 꿈 꾸던 한때
저보다 큰 사자들 으르렁대는
거친 해원海原을 밤낮으로 누볐으리라

이곳에 정박하는 것을 거부하는 듯
뻘겋게 녹슬어가는 닻 아직
갈매기 앉은 뱃전에 쓸쓸히 걸려 있고
어느 굳은살 박인 손이 잡았을 난간에는
비닐 쓰레기 하나 조기弔旗처럼 달려 있다

빛바랜 페인트칠 글자 바스라져

'희망호'가 '망오'로 보이는 사체 하나
썰물 빠진 뻘 위에 희망 없이 드러누워
갯내 묻혀 오는 해풍에 한창 곰삭고 있다

무지개

빗소리를 들으며 낮잠 자던 막내가 깨어
구름 사이 드러난 손바닥만 한 하늘
실눈 뜬 얼굴로 찌푸리며 바라보다가
색동저고리 입은 두 팔 들어 부채를 펴듯
한껏 기지개를 켜고 있네
눅눅한 햇살 보송해지는 초여름 오후

제5부

자박자박 그대 걸어오는 소리

적요 寂寥

이웃의 소란스러움을 탓하지 마라
내 안에 마지막까지 켜두었던 등불
그 하나마저 꺼버리고
마음속 티끌 같은 생각들을
짙은 어둠이 모두 데리고 나가면
문득 찾아오는 고요를 틈타
뒤꿈치를 들고 조심조심
걸어오는 바람의 발자국 소리를 들으려
귀에 댄 손마저 내려놓는 그때

적요는 바로 내 안에 있는 것

가을 편지

자꾸 달라붙던 무더위 빠져나간 창가에서
귀뚜라미가 또르르 또르르 톱니바퀴를 돌려
가을의 절기를 한 뼘씩 끌어당기고 있습니다
억새들이 하늘을 쓸고 있는 산기슭에는
가을볕이 산국山菊을 노랗게 물들이고 있습니다

풀벌레 소리 잦아든 당신의 뜰에도
노을빛 물든 나뭇잎들 내려앉고 있는지요
다가오는 혹독한 계절을 견디기 위해
나무는 이파리들 벌써 내려놓고 있습니다
우리에게도 내려놓을 것이 많다는 듯

들녘마다 고개 숙인 나락들처럼
이 가을 우리는 또 얼마나 낮아졌습니까
스스로 떨어져 내린 밤톨들처럼
우리는 또 어느 만큼 단단해졌습니까

기운 햇살에 꼬들꼬들해진 무말랭이처럼

우리가 비록 이룬 것 없이 메말라간다 해도
세차게 몰아치는 비바람 견뎌내고
사정없이 쏟아붓는 뙤약볕 감당해낸
지난여름은 참 위대했습니다

사랑의 절정을 내려놓고 있는 가을 숲과
여름내 품어 키워낸 것들 서서히 비우고 있는
가을 들녘을 당신과 함께 바라보고 싶습니다
끌어당길 가을이 남아 있는지
귀뚜라미는 또르르 또르르
아직도 톱니바퀴를 돌리고 있습니다

가을이 오는 소리

처서處暑 지나도록 소식 없던 그대
첫 태풍 지나간 길을 거슬러
새벽이슬에 흠뻑 발목 적시며
자박자박 걸어오는 소리 들린다

걸어오는 그대의 발소리 들리면
우리의 얼굴은 발갛게 달아오르고
그대를 기다리다 지쳐가는 뙤약볕 아래
고추들의 푸르던 얼굴도 어느새 붉어진다

그대 걸어오는 발소리에 귀 기울일 때
성가시게 달라붙는 늦더위에 우리는
그만큼 익어간다는 것을 인정해야 한다
혓바늘 돋은 잎을 늘어뜨리던 맷돌호박도
어느새 볼살 처져 골주름 깊어져 간다

어느 날 거울을 보며 까닭 없이 슬퍼지다가
그대가 걸어오는 발소리 들리면

우리는 얼른 울음을 멈추어야 한다
여름내 목쉬도록 울던 매미도
그대 발걸음 소리에 울음 뚝 그치지 않는가

땅따먹기

기지基地에 은신하며 전략 전술을 짜도
시작은 가위바위보
초반의 승부는 복불복일 때가 많지만
나와 당신은 해가 저물도록
서로의 땅을 빼앗지 못해 안달을 한다
손뼘으로 반원을 그으며 선점한 땅도 모자라
말을 죽여서 힘없는 상대의 땅을 차지한다
규칙 위반이다 눈속임이다
바락바락 악을 쓰며 핏대 올리며
빼앗길 때마다 시비를 걸지만
상대의 실수로 우리는 제법 땅 부자가 되어
부러울 것 없을 때, 안 먹어도 배부를 때
해는 저물어 갈 때 저녁밥 먹으라고
우리 이름 부르는 소리 또렷이 들린다
아, 어떻게 따놓은 땅인데!
탄식을 내뱉으며 나와 당신이 하는 말
이 땅 너 다 가져라,
하고 끝나는 우리들의 땅따먹기

누워버린 나무

일기예보에도 없던 지난밤 돌풍에
쓰러져 누운 나무
지상의 오직 한 지점에 서서
온갖 풍상을 다 받아내느라
일제 강점 이후 모진 현대사를 겪어내느라
한 백 년쯤 돼 보이는 생애가
꽤나 고단했을 것이다
맨몸으로 눈비를 맞으며 으스스
푸르게 젖은 몸을 떠는 모습 눈에 선하다
염천 뙤약볕살 쏟아지는 한여름
몇 발짝만이라도 비켜서고 싶은 것 참아내느라
속울음 무수히 삼켰을 것이다

그렇지 않아도 이젠 좀 쉬고 싶다 했었는데
광풍처럼 갑자기 불어닥친 바람을 핑계로
한평생 땅을 힘껏 움켜잡고 있던 손아귀를
이제 놓아버린 것이다 누워버린 것이다

구월

지난여름 나뭇가지에 매달려
주야로 울어대던 매미들
울다가 지쳤는지 나뭇잎 사이에서
수풀 서걱이는 소리가 난다

봄부터 여름 내내 번성하던 초목들
며칠 전 지나간 태풍에
한풀 꺾여 납작 엎드릴 때
우리도 조금은 겸손해진다

처서處暑 지나고 네가 빨리 온 까닭은
사마귀에게 붙들린 풀벌레들의 푸른 슬픔을
계절의 틈새에 몸을 숨긴 귀뚜라미가
숨죽여 대신 울고 있기 때문이리

바람의 집

제주도 한라산 어느 중턱에
바람의 집은 숨어 있다
집주인인 고양이가
물끄러미 나를 바라보다가
바람만 아는 이 집을
어찌 알고 왔냐는 듯
웅크린 채 갸우뚱한다
고양이가 고용한 중년 여직원이
원두를 갈아 천천히 내려
주문한 커피를 내오는 동안
그대가 주인인가 물으려는데
고양이는 옆 탁자 위에 올라앉아
우리 주인은 바람이라며
입을 열어 크게 하품을 한다

한로寒露 무렵

하루하루 빛깔 변해가는 들녘마다
참새 떼만 극성으로 내려앉았다 날아오른다
누군가의 주린 배를 위해 들판은
까슬까슬 마른 몸을 부지런히 비워낸다
여름내 제 품속에서 울던 풀벌레들조차
자취 없이 사라져버린 길가 풀섶
헝클어진 생의 가파른 내리막길에서
어여뻤던 혈색 조금씩 잃어가는 풀잎
파리해진 그 볼을 타고 흐르는 눈물이
길가를 서성이는 내 발목을 적시는 어스름 녘
편대를 이루어 끼룩거리는 기러기들은
또 어느 초록빛 세상으로 날아가는가
나이 먹어 조금씩 철들어가는 나도
쓸데없이 움켜쥔 것들 모두 내려놓고
기적을 울리며 어디론가 떠나는 열차에
사랑하는 이와 훌쩍 올라타고 싶다

폐사지廢寺址에서

내려가려 산에 오르고
산에서 내려가다 만난
쓸쓸한 폐사지에 돌탑 하나
크게 금이 간 기단석 위에
귀퉁이 잘려 나간 위중한 탑신
너무 오랫동안 찬바람 맞아
부스러질 듯 살갗 푸석푸석하다
누군가 공들여 쌓아 올렸지만
인적 없는 절을 지키던 승려마저
탁발 떠나 돌아오지 않는 절을
외로운 탑이 대신 폐하여 버리고
이제 자신마저 스스로 폐하려는 듯
돌탑 하나 무너져내리려고 서 있다

날카로움에 대하여

복사용 종이에 손가락을 베인다
구겨져 부드러워지지 않으면
화장지처럼 으깨어지지 않으면
여기저기 여린 것에 상처를 내는구나
억새꽃이 좋아 억새밭을 걷다가
억새잎 칼끝이 팔을 스친다
무뎌지지 않으면 아픔만 주는구나
부대끼다 널브러져야 부드러워지는구나
무뎌지고 널브러지지 않으면
내미는 손 잡아줄 지푸라기도 못 되는구나
집 밖에서 날카로운 소리로 울던 겨울바람도
봄이면 철들어 우리 품에 안기지 않느냐
사나운 파도로 달려들던 저 바다도
제풀에 지칠 때까지 기다려주면
황금빛 감동의 물결로 밀려오지 않느냐
날 선 눈빛은 무딘 눈빛으로 감싸고
넉넉한 품을 열어 진득하니 기다리다 보면
날카로운 그믐달 눈빛도 몽돌처럼 둥글어져

보름달의 눈웃음으로 떠오르지 않겠느냐

마스크

그동안 너무 많은 말을 하고 살았다
그동안 너무 많은 침을 뱉고 살았다
그동안 너무 많은 뻥을 치고 살았다
그동안 너무 많은 이를 썹고 살았다
그동안 너무 많은 밥을 먹고 살았다
그동안 너무 많이 입을 썻고 살았다

오늘부터는 내 흉한 입 다물고 살아야겠다
내일부터는 내 추한 입 가리고 살아야겠다
죄인은 말이 없는 법이다

찔레 가시

가시이기에 찔리고
찔레이기에 찌르는가

오뉴월 햇살 아래 찔레꽃 한창인데
벌 나비 가끔 내려앉아
찔레꽃 속에 더듬이를 찌르다가
이내 다른 꽃으로 옮겨 앉는다

찔레꽃 향기에 가려진
찔레 넝쿨 무심코 건드리다가
가시에 찔리는 아픔을 통해
찔레의 두 얼굴을 본다

가시덤불 앞에서 발길을 돌리는 나도
누군가를 찌르는 찔레 가시였을 것이다
찌르고 찔렀던 사람들 수만큼
내 마음 오늘 찔리는 곳 많다

우산

접혀 있을 때보다
펼쳐졌을 때 아름답다

펼친 관절을 고정시켜
한껏 불거진 근육질의 너처럼
내 마음의 근육 부풀어 올려
비에 젖고 있는 누군가에게
나는 우산이 되어준 적 있었던가

빗발 그친 뒤에 불룩불룩
더욱 단련된 근육 드러낸 채
젖은 몸을 말리고 있는 우산

나는 이제까지 한 번이라도
마음의 우산살 넉넉히 펼쳐
비 긋는 나그네에게
처마가 되어준 적 있었던가

돌멩이의 노래, 돌멩이의 절규

권순긍(문학평론가, 세명대 명예교수)

"잘 들어라. 그들이 입을 다물면
돌들이 소리 지를 것이다."
─루가 19:40

　허완 시인의 첫 시집 『황둔 가는 길』(작은숲, 2020)을 받아 제목을 보고 깜짝 놀랐다. 내가 머물던 제천에서 30분 거리에 위치한 '황둔'이란 곳은 외지인에게는 별로 알려지지 않은 곳이기 때문이었다. 원주 신림神林에서 영월 쪽으로 가는 길에 위치한 치악산 자락의 작은 마을인데, 찐빵집들이 옹기종기 모여 있고 가끔 트럭들이 국도를 따라 원주 방면으로 달려가는 한적한 곳이다. 그런데 연고도 없는 시인이 어떻게 그곳을 알고 시집 제목으로 삼은 것일까?

표제시 「황둔 가는 길」에서 시인은 "길섶에 피어나 수줍게 흔들리고 있는/시 몇 줄 꺾으려 오르는 길"이라 얘기한다. 그리곤 치악산 자락의 봉우리와 골짜기들이 첩첩이 길을 막고 있는 황둔의 산길에서 '시 몇 줄'을 찾는다. 아, 그렇구나. 문득 압바스 키아로스타미 감독의 이란 영화 〈내 친구의 집은 어디인가〉(1996)에서 친구에게 공책을 돌려주기 위해 험난한 길을 달려가는 주인공에게 어느 노인이 샘물 곁에서 건네는 들꽃 한 송이가 떠올랐다. 그래 시는 이런 것이다. 힘겨운 삶의 여정에서 샘물처럼 위안을 주는 한 송이 들꽃!

그런데 시인은 "꺾어 든 시마저 돌려주고 넘는 고갯길"이라고 한다. 그럼 시는 어디로 갔지? 영화의 마지막 장면에서 그 꽃은 공책 사이에 눌려 압화押花로 다시 등장하지만, 시인은 삶의 굽이에서 힘겹게 얻은 시 몇 줄마저 다시 자연으로 돌려보낸다. "노래가 울음이 되고/울음은 다시 노래가 되는 산마룻길"에 시를 놓고 내려온다. 어찌 보면 철저한 '무소유'라지만 자연과 시인이 하나로 어우러지기에 문제 될 것이 없다. 내가 자연의 일부분인데 자연에서 얻은 것을 자연으로 돌려보내는 것이 무슨 문제인가?

'물아일체物我一體'의 미학

허완 시의 중심에는 자연(물)이 있다. 그런데 그 자연은 타자화되거나 대상화된 것이 아니라 피와 살과 감정을 가진 인간으로 의인화된다. 제1부의 시들은 그렇게 의인화된 자연이 중심에 위치한다. "평생 떠돌지 않아도 되는" 나무, 꺾이지 않는 대나무, "높은 하늘 껴안고 있는" 나무, 시인 자신으로 의인화된 길가의 돌멩이 등이 그러하지만 무엇보다도 '바람'이 가장 빈번하게 인간의 모습으로 나타난다. 하여 '바람의 노래'를 들어보자.

「바람의 흉터」를 보면 "(바람도) 크게 다칠 때가 있는 것이다 / 간밤 큰 소리로 울며 지나가는 것이다 / 큰 가로수를 들이받았는지 / 바람의 팔 하나 뚝 부러져 / 가로수 줄기에 거꾸로 매달려 / 잉잉 울고만 있는 것이다'라고 한다. 바람에 가로수가 부러진 것이 아니라 거꾸로 바람이 가로수를 들이받고 팔 하나가 부러졌다고 한다. 흥미롭게도 바람이 주인공이 되어 관점이 뒤바뀐 것이다. 왜 시인은 그렇게 유달리 '바람'에 애정을 가질까?

허완 시인은 해방기의 진보 시인 김상훈金尙勳(1919~1987)을 연구한 『金尙勳 詩 研究』(인하대 교육대학원, 1994)에서 그의 시 「바람」을 주목해 "'바람'은 '드높은 양관洋館', '제국주의 기선'을 걷어차고 삼켜치움으로써 지배 세력에 대한 강한 공격성을 드러내는 동시에 '가난뱅이 살림에 한숨을' 담아감으로써 피지배계급을 위로"(49쪽)한다고 분석했다. 김상훈이 그랬듯이 바람의 분노와 저항의 이미지를 통해 시인이 지향하고자 하는 의미를 담고자 했던 것이리라. 이러한 이미지들이 잘 드러난 시가 「태풍」 연작이다.

첫 시집에서 이미 「태풍 1」과 「태풍 2」를 통해 '뒤집어놓아야 할 것', '넘어뜨려야 할 것', '날려버려야 할 것', '깨부술 듯 마구 흔들어야 할 것', '치워버려야 할 것' 등을 휩쓸고 지나가는 태풍을 노래했거니와, 이번 시집의 「태풍 4」를 통해서는 "걷잡을 수 없이 많은 눈물 뿌리며" 산맥을 넘는 '슬픔의 바람'으로, 「태풍 5」를 통해서는 "나 때로는 쾅쾅 / 무엇이든 들이받고 싶"은 '분노의 바람'으로 얼굴을 바꾸기도 한다. 「태풍 5」를 보자.

곳곳에 매복한 암초에 부딪히고
깎아지른 해안 절벽 무수히 두들겨서
단단해진 내 이마로 한 방 들이박아
다 부숴버리고 싶을 때 있다
더는 참을 수 없을 때가
꼴사나운 것들 날려버리고 싶을 때가
분노 조절 기능에 장애가 생길 때가

찜통 같은 늦더위를 견디다

참을성 끓어 넘칠 때 있다

(중략)

가여워서 들이받을 수 없어

나 이제 북쪽 멀리 있다는 뭍을 향해 가는

쿠로시오해류를 따라가는 수밖에 없다

전력으로 질주하는 내 이마 받아주려고

누구보다 먼저 나를 기다리고 있을

해안 절벽과 포구 앞 방파제

그곳으로 돌진하는 나를 말릴 수 없다

아무도 나를 때려눕힐 수 없다

−「태풍 5」 부분

  세상의 더러운 것들과 꼴사나운 것들을 부숴버리고 싶을
때가 많다. 그 일을 의인화된 태풍이 대신해주는 것이다.
말하자면 태풍은 시인의 또 다른 자아인 셈이다. 인간처럼
이마로 들이박는다고 한다. 그 강렬한 태풍은 어떤 것으로도
막을 수 없다. 해서 "아무도 나를 때려눕힐 수 없다"고 장담한
다. 부정한 시대에 대한 분노가 '태풍'으로 대체된 것이리라.
  이처럼 더러운 것들을 부숴버리고 싶은 태풍도 있지만,
봄바람처럼 만물을 소생시키고 활력을 불어넣는 상큼하고

정겨운 바람도 있다. 「맛있는 바람」에서는 비 갠 뒤에 "방금 떠온 샘물처럼 마음껏 / 맛있는 바람 마시기 얼마 만인가"라고 반가워하며 바람을 맞는다. 그 기분은 "향긋한 바람 맛보며 / 지그시 눈을 감네 / 오랫동안 떠돌다 돌아와 먹는 / 집밥처럼 눈물이 핑 도네"라고 감격으로 이어진다. 또한 '맑게 세수한 하늘', '달콤한 바람', '반짝이는 나뭇잎', '뭉게구름' 등의 시어들이 맑고 상큼한 이미지를 이어가다가 '집밥'의 정겨움으로 마무리된다. 훼손되지 않은 생태적 환경 속의 바람이기 때문에 반갑고 정겨운 것이다.

그런가 하면 유유자적하며 한가로운 바람도 있다. 제주도 한라산 어느 중턱에 위치한 찻집을 노래한 듯한 시 「바람의 집」이 그렇다. 집을 지키는 고양이가 "물끄러미 나를 바라보다가 / 바람만 아는 이 집을 / 어찌 알고 왔냐는 듯" 고개를 갸우뚱하더니, 커피를 기다리는 동안 "그대가 주인인가 물으려는데 / 고양이는 옆 탁자 위에 올라앉아 / 우리 주인은 바람이라며 / 입을 열어 크게 하품을" 한다. 마치 섬세한 일본 애니메이션을 보는 것 같다. 바람이 사람처럼 커피집 주인이라니! 그런데 잘 생각해보면 우리 모두는 자연의 일부가 아닌가. 그러니 바람이 머무는 곳의 주인은 바람인 셈이다.

예전 자연을 즐기는 사람을 일러 '풍월주인風月主人'이라고 했다. 저 유명한 정극인의 「상춘곡賞春曲」에서 "송죽松竹 울울리鬱鬱裏에 풍월주인 되었구나"라 노래하지 않았던가. 사람이 자연을 즐기고 관리하는 주인인 것 같지만, 관점을 바꾸면 자연이 주인이다.

실제로 제주 곶자왈의 아름다운 풍광이 어우러진 저지문화예술인마을에는 '바람의 집'이라 불리는 건축물과 미술관이 있기도 하다. 그것이 아니더라도 제주는 바람이 많이 부는 곳이니 그 바람이 머무는 곳이 어딘들 '바람의 집'이 아니겠는가. 여기서 바람은 커피집을 경영하면서 고양이와 사람들과 어울려 지내는 정겨운 이웃의 모습으로 등장한다.

게다가 시인은 자신의 내면으로 들어가 마음의 고요함 속에서 '바람의 발자국 소리'까지 듣기도 한다. 그의 다음 시를 보자.

이웃의 소란스러움을 탓하지 마라
내 안에 마지막까지 켜두었던 등불
그 하나마저 꺼버리고
마음속 티끌 같은 생각들을
짙은 어둠이 모두 데리고 나가면
문득 찾아오는 고요를 틈타
뒤꿈치를 들고 조심조심

걸어오는 바람의 발자국 소리를 들으려

귀에 댄 손마저 내려놓는 그때

적요는 바로 내 안에 있는 것이다

－「적요寂寥」 전문

　마음속의 티끌 같은 생각들을 다 떨쳐버리고 아무것도
없는 텅 빈 공간을 '적요'라고 한다. 그런데 바로 그 고요
속에서 '바람의 발자국 소리'를 듣는다. 그렇다면 '적요'가
아니지 않은가? 해서 시인은 "적요는 바로 내 안에 있"다고
강조한다. 바람이 걸어오는 발자국 소리는 들리지만 내
안의 '적요'와는 무관하다고 한다. 오히려 내 안이 텅 비어
있어야 바람의 발자국 소리를 들을 수 있다고 한다. '바람의
소리'가 아니라 '바람의 발자국 소리'다. 그것도 방해가
될까 봐 뒤꿈치를 들고 친구처럼 조심스럽게 찾아오는 것이
다. 말하자면 자연 속에 침잠하여 자연의 일부가 되는, 곧
바람의 친구로 바람이 되는 것이리라. 마치 선시禪詩와 같은
이 작품은 의인화된 자연과 친구가 되는 경지를 넘어서
자연과 자아가 하나로 일치되는 '물아일체物我一體'의 경지를
보여주고 있다.

비우고 버리며 나누는 삶의 철학

자연과 하나가 된 시인은 자연의 모습과 목소리를 빌려 자신의 내밀한 얘기를 하고 있기도 하다. 표제시 「내가 길가의 돌멩이였을 때」를 보자. 시인 자신이 "구르던 돌멩이로 길가(길섶)에 멈춰(숨어) 있는 것은" 무수한 발길에 차이어 이리저리 유전流轉했기 때문이다. 행인들의 발길에 차이는 별 볼 일 없는 돌멩이 하나. 바로 그것이 시인 자신의 모습이라고 한다. 하지만 그 하찮은 돌도 어딘가 쓸모가 있을 터. 시인은 이렇게 소망한다.

내가 무수한 발길에 차이는

작고 천한 돌멩이였으나

견고하게 쌓는 축대 사이

한 곳에 끼어 자리 잡을 수 있다면

나를 걷어찬 발들 용서하며 고마워하며

몇백 년을 견디어도 나는 좋으리

　　　　　　　　　－「내가 길가의 돌멩이였을 때」 부분

그 하찮은 돌멩이도 집의 기초라 할 수 있는 축대를 쌓는 데 보탬이 된다는 것이다. 시인 자신은 바로 그런 세상에 필요한 존재가 되고자 한다. 이리저리 걷어차이는 하찮은 돌멩이지만 버려지지 않고 세상에 보탬이 되는 존재, 그게 바로 시인이 바라는 바다.

그런데 여기 (시인이 의도했는지 모르지만) 반전反轉이 숨어 있다. 바로 그 하찮은 돌이 바로 모퉁이의 '머릿돌'이 될 수 있음이다. 독실한 기독교 신자인 시인으로서는 축대 사이에 낀 그 돌이 결코 헛되이 쓰이지는 않으리라 믿는다. 『성경』에 "집 짓는 사람들이 버린 돌이 모퉁이의 머릿돌이 되었다."(마태오 21:42)라고 말하고 있지 않은가.

하지만 무언가 세상에 보탬이 되기 위해서는 자신이 지니고 있는 욕망과 아집을 버려야 함이 당연하다. 「한로寒露 무렵」이나 「땅따먹기」는 바로 이런 비움과 나눔에 대해 자신을 성찰하고 있는 작품이다. 「한로 무렵」에서는 가을이 깊어 가면서 초록으로 뒤덮였던 세상이 누렇게 변해가는 것을 보며 시인도 자신의 삶을 돌아보고, "나이 먹어 조금씩 철들어가는 나도 / 쓸데없이 움켜쥔 것들 모두 내려놓고 / 기적을 울리며 어디론가 떠나는 열차에 / 사랑하는 이와 훌쩍 올라타고 싶다"고 말하고 있다.

그렇다. 움켜쥔 것들을 버려야 마음을 비울 수 있는 것이다. "마음이 가난한 사람은 복이 있다."(마태오 5:3)고 하지 않았던가. 그래야만 "천국을 차지할 것이"다. '어디론가 떠나는 열차'는 그런 세상, 곧 천국에 대한 비유로 보이지만,

시인은 죽음을 생각하기에는 아직 젊다. 해서 '사랑하는 이'와 같이 올라타고 싶다고 한다. '사랑하는 이'는 지상의 사람일 수도 있지만 시인이 믿는 구원자일 수도 있겠다.

'땅따먹기'는 유년 시절 땅에 금을 그어놓고 누가 많은 땅을 차지하는가를 판가름하는 놀이이다. "나의 땅을 빼앗지 못해 안달을" 하고, "말을 죽여서 힘없는 당신의 땅을 차지"하기도 하여, "나는 제법 땅부자가 되어 / 부러울 것 없을 때 안 먹어도 배부를 때" 저녁밥 먹으라고 부르는 소리가 들린다. 이제 게임 끝이다. 그저 맨땅에 금을 그어놓고 임자 없는 땅을 차지한 것뿐인데 아쉬움은 남지만 어찌하랴.

아, 어떻게 따놓은 땅인데!
탄식을 내뱉으며 나와 당신이 하는 말
이 땅 너 다 가져라,
하고 끝나는 우리들의 땅따먹기

−「땅따먹기」 부분

우리들의 삶은 그런 거라고 이야기한다. 마치 땅따먹기처럼 아득바득 재물을 차지하려고 애를 쓰지만 결국은 다 버리고 가는 것 아닌가. 버림으로써 완성되는 삶! 시인은 '땅따먹기'를 통해서 그것을 말하는 것이리라.

시집 제5부는 그런 자신의 삶에 대한 반성과 성찰로 가득하다. 그러기에 스스로 엄격하고 날카롭게 살았던 지난 삶에 대해 성찰하기도 한다. 「찔레 가시」에서는 찔레꽃의 날카로운 가시를 보면서 "가시덤불 앞에서 발길을 돌리는 나도 / 누군가를 찌르는 찔레 가시였을 것이다 / 찌르고 찔렀던 사람들 수만큼 / 내 마음 오늘 찔리는 곳 많다"고 아프게 고백한다.

「날카로움에 대하여」에서는 "부대끼다 널브러져야 부드러워지는구나"라고 강조하면서 세상 만물이 다 무뎌져야 비로소 쓸모가 있음을 말한다. 부드러움이 강함을 이기는 것이다. 인간의 삶 역시 이와 다르지 않다. 시인은 그 삶의 철학을 이렇게 '보름달의 눈웃음'으로 마무리한다.

날 선 눈빛은 무딘 눈빛으로 감싸고

넉넉한 품을 열어 진득하니 기다리다 보면

날카로운 그믐달 눈빛도 몽돌처럼 둥글어져

보름달의 눈웃음으로 떠오르지 않겠느냐

　　　　　　　　　　　　　　－「날카로움에 대하여」 부분

시인은 이렇게 비우고 버리며 부드러워진 삶의 여정을 이웃과 나누는 것으로 마무리하고 싶어 한다. 앞에서 「내가 길가의 돌멩이였을 때」에도 축대를 받치는 돌멩이가 되길 원했거니와, 「우산」에서는 "비에 젖고 있는 누군가에게" 우산이 되고자 한다. '비'는 세상의 온갖 시련이며, 그 시련을 겪으며 살아온 누군가에게 시인은 위로가 되고자 한다.

나는 이제까지 한 번이라도
마음의 우산살 넉넉히 펼쳐
비긋는 나그네에게
처마가 되어준 적 있었던가

-「우산」 부분

시인은 "되어준 적이 있었던가"라는 의문형 서술어를 반복하면서 스스로를 자책하고 있지만, 실상은 그렇게 살고자 함이다. 이런 시인의 삶은 결국 이웃에 대한 사랑을 강조하는 기독교적인 구원의 세계와 연결된다.

당신은 그곳으로 가라 하시는데
아직 이곳에 머무는 나는 자꾸만
신기루 아름다운 저 먼 곳을 바라봅니다
잘 닦여 곧게 뻗은 길
저곳으로 난 길을 바라보는 나에게

당신은 저곳 말고 그곳으로 가라 하십니다

당신이 가리키는 그곳으로 가는 길

찾아도 보이지 않아 갈 바를 모르는 길

그곳이 정말 있기는 한 것인지

고개를 갸우뚱하며 찾아 헤맬 때

당신과 내가 만나 누릴 그곳에서

나를 기다린다고 당신은 이르십니다

신기루 보이는 저 먼 곳으로 가던 발길 돌려

그곳으로 가는 길은 좁고 험하기만 합니다

자꾸 내 눈길 발길 잡아끄는

저곳으로 가는 평탄한 길 돌아보다 자칫하면

낭떠러지 아래로 떨어질 수 있는 길입니다

그곳 향한 당신의 손만 바라보고 가는 길입니다

-「그곳」 전문

　‘저곳’과 ‘그곳’으로 나누어진 이분법의 세계 속에서 십자
가를 지고 가는 구원의 길은 ‘그곳’에 있는데, 시인은 편한
‘저곳’으로 가고자 한다. ‘저곳’은 신기루처럼 아름다운 곳이
고, 잘 닦여 곧게 뻗은 길이며 평탄한 길로 연결되어 있는
곳이다. 반면 가야 할 ‘그곳’은 보이지 않아 갈 바를 모르는
곳이며, 좁고 험하기만 하여 낭떠러지로 떨어질 수 있는

곳이다. 그럼에도 시인은 그 길로 가고자 한다. 그곳이 구원의 길이며 "당신의 손만 바라보고 가는 길"이기 때문이다. 십자가를 지고 가는 구원의 길은 좁고 험하고 고통스럽기까지 하리라.

『성경』에도 "좁은 문으로 들어가거라. 멸망에 이르는 문은 크고 또 그 길이 넓어서 그리로 가는 사람이 많지만, 생명에 이르는 문은 좁고 또 그 길이 험해서 그리로 찾아드는 사람이 적다."(마태오 7:13~14)고 하지 않았던가. 시인은 궁극적으로는 힘들더라도 이런 구원의 삶을 지향하는 것이다. 그런 점에서 시인은 순교자적 삶을 따랐던 윤동주 시의 어법을 따르고 있다.

냉혹한 세상을 향한 외침

기독교적인 구원을 중시하는 허완 시인에게 구원은 당연히 자신만을 위한 것이 아니다. "부끄러움을 잃고 / 소중하고 마땅한 가치들을 잃고"(「잃어버린 것에 대하여」) 있는 이 냉혹한 세상을 향한 것이다. 이미 시인은 『그러나 백묵이여 ─교사문학 1집』에 실린 등단작 「백록담에서」 외 4편이나 『황해문화』 1994년 여름호에 실린 「고석정孤石亭에서」, 「화목火木에 대하여」 등에서 강한 역사의식을 드러낸 바가 있다.

「백록담에서」는 "죽은 어미 원귀 바람 되어 떠돌더니

/천둥 번개 비구름으로 돌아와/흰 머리칼 고사목으로 우뚝 버티어 서/휘어이, 오랑캐들 물러가라고/키 작은 해적들, 코 높은 양적洋賊들/휘어이, 반 푼어치 어림없다고/진도에서 쫓기어온 삼별초를 지휘한다"며 외세(영국군)에 침탈당해 상처 입은 바 있는 거문도를 "밀물로 껴안는" 제주도를 "어머니여, 바다의 거대한 자궁이여"라며 찬미한다. 그뿐 아니라 「고석정에서」는 의적義賊 임꺽정의 죽음을 기억하며 "귀신처럼 출몰하던 의적 하나 어디로 갔나"라며 안타까워한다. 모두 우리 험난한 역사에 안타까운 장면들이다. 허완 시인의 시 쓰기는 그런 역사의 상처를 확인하고 보듬는 것에서 처음 시작되었다. 그러니 어찌 이 시대 현실의 아픔을 직시하지 않겠는가.

제3부에 실린 시들이 대부분 그런 지향을 보인다. 33년 동안 인천지역에서 교사로 아이들을 가르쳤던 시인은 우선 2014년 4월 16일 304명의 어린 학생들을 바닷속에 희생시킨 '세월호'의 아픔을 잊지 않는다. 세월호에 희생된 아이들이 "사월의 그 날/돌아오지 못한 너희들/꽃으로 피어 돌아오는구나"라며 이렇게 노래한다.

꺼질 듯 꺼지지 않는
별들로 반짝이다가

너무 먼 그리움 어떻게 알고

　새벽마다 이 땅으로 내려와

　잠깐이라도 얼굴 한번 보라고

　속 깊은 너희들

　바라보는 눈 이리 아리도록

　참 눈부시게 피어나는구나

　　　　　　　　　　－「사월에 피는 꽃」 부분

　희생된 아이들이 하늘의 별들로 반짝이다가 사람들이 그리워 지상에 내려와 꽃으로 피었다는 말이다. 하늘의 별과 지상의 꽃이 그리움으로 연결된다. "그리움의 동의어는 아득함이리라"(「그리움」)고 했듯이, 지상에 핀 꽃 속에서 그 아득한 그리움의 실체를 보는 것이다.

　그 아이들의 모습은 서울의 "여의도 윤중로에 벚꽃같이 환한 아이들의 얼굴 다시 피어"(「여의도 벚꽃」)나기도 한다. 칸 영화제 황금종려상을 받은 에밀 쿠스트리차 감독의 〈언더그라운드〉(1995)를 보면 유고 내전으로 희생된 사람들이 피안의 세계로 건너와 흥청대며 즐겁게 잔치를 벌이는 장면이 등장한다. 죽은 자들을 다시 살려내 일상과 똑같이 흥청거리며 놀게 함으로써 참혹한 전쟁과 대비되어 묘한 감동을 주는 명장면이다.

여의도 윤중로를 가득 메운 벚꽃 무더기를 보면서 시인은 세월호에 희생된 아이들의 모습을 떠올린다. "맹골수도 급류로부터 조류를 타고 진도 앞바다 신안 앞바다 태안 앞바다를 지나고 교동도 강화도 사이를 지나자마자 방향을 틀어 한강 거슬러 올라 이제 막 도착합니다 마침 봄비 그친 오늘 먼저 도착한 넋들 하나둘 피어나기 시작합니다 팽목항 봄 바다 하늘의 초저녁별처럼 피어납니다 아리수 물길 거슬러 줄지어 오는 가여운 넋들 모두 다다르면 여의도는 온통 꽃다운 아이들의 수다로 수런거리겠지요 눈부시겠지요"라며 희생된 아이들을 맞이해 반가워한다. 행갈이를 하지 않고 문장부호도 없이 긴박하게 이어지는 문장을 통해 아이들이 살던 곳 가까이로 급하게 거슬러 올라와 벚꽃으로 피었음을 얘기한다. 하필 대한민국의 국회가 위치한 여의도에서 참혹한 죽음을 딛고 가득 핀 벚꽃으로 부활시킨 것이다.

사회에서 소외된 이웃들에 대한 시인의 시선은 노숙인, 폐지 줍는 노부부, 택배 노동자, 갯벌 어민, 심지어는 백인 경찰에 희생당한 흑인들까지 이른다. 택배 노동자의 삶을 그린 다음 시를 보자. 새벽부터 택배 운송을 하느라 "자꾸만 놓치는 것은 밥때만이 아니"고 아내의 생일, 자녀들의 졸업식, 친구 부친상 조문, 가족 모임, 건강검진 등 놓치는 것이

헤아릴 수 없을 정도로 많다고 한다. 시간에 맞춰 물건을
배송하기 위해서다.

> 오늘 저녁 다시 밥때를 놓치고
> 허기를 채우려 트럭 운전을 하는 손으로
> 한 줄 김밥을 욱여넣는다
> 전염병 날로 창궐하는 어려운 때에
> 일감이 많아져 대박이 났다고들 말하지만
> 그는 등이 휜다, 허리가 휜다
> 아파트를 나와 물 한 모금 마시다가 바라본
> 스무 시의 초승달도 등이 휘어 있다
>
> ―「스무 시의 초승달」 부분

오늘 저녁도 김밥을 욱여넣어 해결하지만 고달픈 삶의
반복일 뿐이다. 그 고달픈 삶을 은유하는 매개가 바로 초승달
이다. 꼬부라진 초승달이 등이 휜 택배 노동자의 모습을
그대로 재현해 보여준다. 더군다나 저녁을 먹고 가족들과
편안히 쉴 시간인 20시에.

초승달이 등이 휜 택배 노동자를 비유한다면 가을비에
젖은 낙엽은 바로 노숙인을 은유한다.

간밤부터 내리는 비에

젖은 몸을 떨며

낙엽들 길바닥에 누워 있다

감상感傷이 아니라고

낭만 따위가 아니라고

세상은 냉혹한 것이라고

발걸음 재촉하는 출근길

술에 취한 노숙인 하나

지하철역 문 입구에 누워 젖고 있다

-「가을비」 전문

일반적으로 가을에 길 위를 뒹구는 낙엽은 감상이나 낭만의 소재다. 하지만 가을비를 맞아 "젖은 몸을 떨며 / 길바닥에 누워 있"는 낙엽은 감상이나 낭만이 아닌 '냉혹한 세상'을 그대로 보여준다. 바로 "술에 취한 노숙인 하나 / 지하철역 문 입구에 누워 젖고 있"기 때문이다. 가을비에 젖은 낙엽은 바로 노숙인의 은유다. 하지만 출근길의 사람들은 발걸음을 재촉하고 아무도 노숙인을 눈여겨보지 않는다. 세상이 냉혹하기 때문이리라. 노숙인 하나가 굶어 죽든 얼어 죽든 내

알 바가 아니라고 한다. 감정을 극도로 절제하고 덤덤하게 스케치하듯 비에 젖은 낙엽과 노숙인을 중첩되게 함으로써 오히려 강한 울림을 전해준다.

이미 시인은 등단작에서 역사적 사건을 시로 형상화했거니와, 바람벽에 말리는 시래기를 '민란의 주모자'로 그린 「시래기」는 의인화된 자연물을 역사적 맥락으로 환치시키는 놀라운 발상을 보여준다.

제 몸통을 내어주고
효수된 머리들이 줄지어
바람벽에 매달려 있다

푸른 머리만 산발한 채
어느새 꼬들꼬들해지는 처마 밑에서는
푸른 피비린내가 난다

저토록 수많은 민란의 주모자들
백성들의 뜨끈한 밥상을 위해 기꺼이
하나뿐인 제 목숨 내주었구나

—「시래기」전문

무와 분리된 무청을 '효수된 머리'로 은유하며 말라가는 시래기에서 '푸른 피비린내'가 난다는 발상은 무척 신선하다. 허완 시인은 자주 자연물 속에서 의미를 찾고자 했거니와 여기 '시래기'는 '민란民亂'의 역사적 맥락과 아주 잘 어울린다. 무에서 (참수되듯) 분리된 무청, 바람벽, 산발한 머리, 푸른 피비린내 등의 시어들은 좋은 세상을 만들기 위해 수없이 시도했지만 결국 실패를 거듭했던 민란의 결과와 닮았다. 그런데 거듭된 실패에도 불구하고 왜 그렇게 빈번하게 민란을 일으켰을까? 바로 민중이 주인이 되는 좋은 세상을 만들기 위해서일 것이다. 그 이유를 마지막 연에서 "백성들의 뜨끈한 밥상을 위해 기꺼이 / 하나뿐인 제 목숨 내주었"다고 강조함으로써 시래기를 통해 '민란의 주모자'를 환기시키고 있다. 적절한 위치에서 은유된 시어들이 시 속에서 얼마나 힘을 발휘할 수 있는가를 증명한 좋은 사례다.

상실감에 이은 위기의식

허완 시인은 자연 속에서 의미를 찾기도 하지만, 자연을 의인화하여 그들의 목소리를 들려주고 있다. 조선 중기 자연을 노래한 시가들을 '강호가도江湖歌道'라 한다. 퇴계退溪는 "자연을 즐기는 것은, 도의에 기뻐하고 심성을 기르는 것"이라 했다. 하여 "청산은 어찌하여 만고萬古에 푸르며

/ 유수流水는 어찌하여 주야晝夜에 그치지 아니하는고"(「도산십이곡」에서) 라며 '청산'과 '유수' 속에서 인간이 본받을 변치 않는 진리[道]를 찾고자 했다.

하지만 고산孤山 윤선도尹善道(1587~1671)는 「오우가五友歌」와 같은 작품을 통하여 "내 벗이 몇이나 하니"처럼 자연을 친구처럼 대하는 다른 입장을 보여주었다. 이처럼 조선 중기 사대부들에게 자연은 그들의 삶과 불가분의 관계를 지닌 중요한 시적 대상이었다.

허완 시인은 자연을 통해 의미를 발견하기도 하지만 무엇보다도 자연을 의인화하여 그들의 목소리로 그들의 이야기를 들려주고 있다는 것이다. 친구 관계를 넘어서 아예 자연과 하나가 되는 것이다. 시적 자아가 자연의 일부분으로 「상춘곡」에서 "물아일체物我一體어니 흥興이야 다를 소냐?'고 했던 것처럼 자연과 하나 되는 '물아일체'의 경지를 보여주고 있는 것이다. 시인은 왜 이토록 자연에 침잠하여 자연과 하나가 되고자 했을까?

허완은 파주시 교하 나몰에서 태어나 그곳에서 중학교 시절까지 보냈다. 「지워지지 않는 이름들」에서 "내 나고 자란 땅 나몰 / 많은 나무들 우거졌다 하여 / 옛 이름은 아마도 나모울이었으리라 / 친척 어른들은 나를 가리켜 나몰 아무개 아들이라"고 했다. 시인은 파주의 나무가 많은 산골에서 나고 자라며 그곳 자연과 친구가 되어 지냈다. 허완 시에서 나무와 산과 바람이 유난히 많이 등장하는 것은 그런 연유일 것이다.

자연은 우리의 선생이기에 "우리가 지나가는 밭둑이며 작은 숲길이며 개울로 흐르는 / 도랑물이 흐르던 길섶은 학교보다 더 많은 것을 가르쳐 주었다"(「방과후 학교」에서) 고백한다. 자연 속에서 아이들이 행했던 모든 놀이는 수업이고 자율 학습이었다. 제4부의 시들은 자연을 매개로 잃어버린 고향에 대한 기억을 소환한다.

이제 대도시 서울에 사는 시인은 "아지랑이가 산과 들에 초록을 덧입히던 봄날의 방과후 학교가 자꾸만 내 꿈속에 나타"(「방과후 학교」에서)난다고 말할 뿐이다. 해서 "신도시 우뚝한 아파트 숲속에서 / 나는 고향을 잃고 하늘을 잃고 / 밤하늘 별빛 아래 반짝이던 반딧불마저 잃었"(「잃어버린 것에 대하여」에서)다고 안타까워한다. 시인은 이제 갈 수 없는 유년의 아름다운 시절을 잃어버렸고, 마음의 고향을 잃어버렸다.

시인에게 고향은 자연의 다른 이름이다. 일반적으로 고향은 갈 수 없기에 그냥 마음속으로 그리워하는 대상이지만, 시인에게는 "신도시 개발로 파헤쳐져 지명 한두 개만 남아 있는"(「그리움」) 자연의 상실을 대변하고 있는 곳이다. 그런

136

경향을 잘 보여주는 시가 「스러진 고향」이다.

　　돌아갈 집을 **빼**앗기고

　　찾아가야 할 마을을 **상실했네**

　　수달처럼 자맥질하던 개여울과

　　부지런히 논두렁을 뚫어놓던 드렁허리와

　　송사리들 몇 마리 지나다니던 도랑물과

　　긴긴 장마를 울던 맹꽁이와

　　흐린 하늘을 비질하던 미루나무와

　　나만 홀로 알고 있던 산딸기밭도 **빼앗겼네**

　　처마 밑에서 꼬들꼬들해지던 무청도

　　가을 아침마다 선물을 주던 밤나무도

　　구슬치기 자치기하던 흙 마당도

　　아이들과 종일토록 썰매 지치던 봇둑도

　　겨울 달밤 술래를 찾던 짚가리도

　　참새들 깃들던 초가지붕도 **스러져버렸네**

　　봄 하늘을 가로지르던 종다리와

　　병아리들과 마당 쪼는 닭 위를 맴돌던 솔개와

제 알 훔쳐 가지 말라고 껑껑 울던 까투리와

어느 집안 조상들 줄지어 엎드려 있던 무덤들 사이에서

그 계집애 몰래 만나던 상석床石들과

아지랑이 속에서 삘기를 뽑을 무렵

연둣빛 짙어지던 집 뒤편 언덕마저 잃어버렸네

다시 돌아오지 못할 첫사랑을 노래하듯

우두커니 서서 나 오늘도 속울음 울 때

지워지지 않은 마을의 고샅길 에움길로

내 기억의 피톨들은 끝을 모르고 달음질치네

　　　　　　　　　　－「스러진 고향」 전문(강조 인용자)

　잃어버린 고향에 대한 구체적 형상화가 두드러지는 이
시는 매연이 끝날 때마다 사라진 것들에 대해 서술어를
바꿔가면서 강조한다. 집과 마을을 '상실'했고, 개여울과
미루나무와 산딸기밭을 '빼앗'겼고, 무청도 밤나무도 흙
마당도 붓둑도 짚가리도 초가지붕도 '스러져버'렸으며, 새
들과 상석들과 언덕마저 '잃어버'렸다고 되뇐다. 이 구체적
형상을 지닌 자연(물)들은 단순히 어린 시절 추억을 소환하
는 매개뿐만 아니라 보존해야 할 생태적 가치를 지닌 것이기
도 하다. 인간은 자연과 더불어 공존해야 하는 존재이기

때문이다. 그래서 사라지는 자연 혹은 생태에 대해 더한 아쉬움을 갖게 된다.

파주시는 운정신도시와 교하신도시 등의 개발로 아름답던 야산과 들판이 파헤쳐지고 고층아파트가 그 자리를 차지하고 있는 곳이다. 해서 시인은 결코 그 고향에 다시는 가지 못하리라. 그러기에 "지워지지 않는 마을의 고샅길 에움길로 / 내 기억의 피톨들은 끝을 모르고 달음질"친다고 한다.

돌아갈 고향의 상실과 더불어 시인은 전 지구적으로 생태 환경에 위기가 닥쳤음을 경고하기도 한다. 「체념과 단념 사이」에서 "눈 감은 그대들 괜찮겠는가 / 내가 여태 안간힘으로 붙들고 있던 빙하 / 좌르르 맥없이 내려놓으려 하는데 / 허락도 없이 내 정수리를 쪼개 항로를 만든다더니 / 꽝꽝 얼었던 내 이마 벌써 쩍쩍 금갔는데 괜찮겠는가"라며 기후위기에 대해 경고를 보내지만 "내 분노의 임계점에 다 도달해버려 / 이제껏 겪어보지 않은 것들을 겪게 될 텐데 / 이렇게 묻는 것도 부질없지만 / 눈 감고 귀 닫은 그대들 정말 괜찮겠는가"고 이제 정말 위기가 닥쳤음을 부르짖고 있다.

생태계에 위기가 온 것은 탐욕적이고 이기적인 인간들이 화석 연료를 무절제하게 사용하면서 탄소를 배출해 생태계를 파괴시켰기 때문이다. 지구의 온도가 올라가면서 빙산과 빙하가 녹고 해수면이 상승하여 기상 이변이 속출하고 있는 것이 현실이다. 그럼에도 선진국과 개도국들은 탄소 배출을 줄이지 않는다. 이제 갓 스무 살이 되는 스웨덴 환경운동가 그레타 툰베리Greta Thunberg(2003~)가 어릴 때부터 기후 위기를 경고하며 동맹 휴학을 이끌었던 일화는 유명하다.

시인은 이제 기후 위기가 임계점에 다다랐음을 외친다. 마치 광야에서 '임박한 진노'를 외쳤던 세례자 요한처럼 "빙산은 무너져 성난 물 폭탄으로 쏟아붓고 / 바다 위 낙원 하나둘씩 사라"(「늦게 부르는 노래」)진다고 절규하고 있다. 그렇다. 이 아름다운 지구가 인간의 탐욕과 이기심 때문에 멸망을 향해 가고 있는 것이다. 어떻게 할 것인가? 앞의 시에서 시인은 "뜨거워져 숨 막히는 이 행성 / 임박한 진노처럼 / 임계점이 가까웠느니라! / 광야에서 외치듯 홀로 부르지만 / 이 노래 너무 늦어버렸다네"라고 부르짖기도 한다. 이제라도 생태계 파괴를 막기 위해 그레타 툰베리처럼 무언가를 해야 할 것이다. 허완의 시는 파괴되는 지구를 살리기 위한 절규의 노래다.

여기 실린 허완의 시 66편은 자연을 닮아 섬세하고 맑다. 때로는 이기심과 오욕으로 점철된 이 세상을 향해 광풍狂風으로 휘몰아치기도 하지만 훈풍으로 소외된 이웃들과 살아 있는 모든 것들을 부드럽게 감싸고 있다. 무엇보다도 자연의 목소리로 부드럽게 노래한다는 것이다. 공자孔子가 300편의 노래를 산정刪定해 『시경詩經』을 편찬하고, 한마디로 '사무사思無邪'라 했다. "생각함에 사특함이 없다"는 말이다. 노래가 진정성을 지니고 순수하기 때문이리라. 허완의 시가 그렇다. 맑고 부드러운 바람처럼!

내가 길가의 돌멩이였을 때

초판 1쇄 발행 2023년 07월 20일

지은이 허 완
펴낸이 조기조

펴낸곳 도서출판 b
등 록 2003년 2월 24일 (제2006-000054호)
주 소 08772 서울시 관악구 난곡로 288 남진빌딩 302호
전 화 02-6293-7070(대) 팩시밀리 02-6293-8080
누리집 b-book.co.kr 전자우편 bbooks@naver.com

ISBN 979-11-92986-06-7   03810
값_12,000원